Pour Susy...

Jacques et Michele

Déc. 94

J'appelle *poésie* cet envers du temps,

ces ténèbres aux yeux grands ouverts, ce domaine passionnel où je me perds,

ce soleil nocturne, ce chant maudit aussi bien qui se meurt dans ma gorge

où sonnent à la volée les cloches de provocation...

J'appelle *poésie* cette dénégation du jour, où les mots disent aussi bien

le contraire de ce qu'ils disent que la proclamation de l'interdit, l'aventure

du sens ou du non-sens, ô paroles d'égarement qui êtes l'*autre jour*,

la lumière noire des siècles, les yeux aveuglés d'en avoir tant vu, les oreilles

percées à force d'entendre, les bras brisés d'avoir étreint de fureur ou d'amour

le fuyant univers des songes, les fantômes du hasard dans leurs linceuls

déchirés, l'imaginaire beauté pareille à l'eau pure des sources perdues...

L. Aragon.

COMPLAINTE DE PABLO NERUDA

Poème d'ARAGON - Musique de Jean FERRAT

Je vais dire la légende
De celui qui s'est enfui
Et fait les oiseaux des Andes
Se taire au coeur de la nuit

Le ciel était de velours
Incompréhensiblement
Le soir tombe et les beaux jours
Meurent on ne sait comment

Comment croire comment croire
Au pas pesant des soldats
Quand j'entends la chanson noire
De Don Pablo Neruda

Lorsque la musique est belle
Tous les hommes sont égaux
Et l'injustice rebelle
Paris ou Santiago

Nous parlons même langage
Et le même chant nous lie
Une cage est une cage
En France comme au Chili

Comment croire comment croire
Au pas pesant des soldats
Quand j'entends la chanson noire
De Don Pablo Neruda

Sous le fouet de la famine
Terre terre des volcans
Le gendarme te domine
Mon vieux pays araucan

Pays double où peuvent vivre
Des lièvres et des pumas
Triste et beau comme le cuivre
Au désert d'Atacama

Pablo Neruda

Comment croire comment croire
Au pas pesant des soldats
Quand j'entends la chanson noire
De Don Pablo Neruda

Avec tes forêts de hêtres
Tes myrtes méridionaux
Ô mon pays de salpêtre
D'arsenic et de guano

Mon pays contradictoire
Jamais libre ni conquis
Verras-tu sur ton histoire
Planer l'aigle des Yankees

Comment croire comment croire
Au pas pesant des soldats
Quand j'entends la chanson noire
De Don Pablo Neruda

Absent et présent ensemble
Invisible mais trahi
Neruda que tu ressembles
À ton malheureux pays

Ta résidence est la terre
Et le ciel en même temps
Silencieux solitaire
Et dans la foule chantant

Comment croire comment croire
Au pas pesant des soldats
Quand j'entends la chanson noire
De Don Pablo Neruda

En 1948 des nouvelles alarmantes arrivaient du Chili concernant le sort de Pablo Neruda menacé par la dictature du président Videla et contraint à la clandestinité. Aragon écrivit plusieurs poèmes rassemblés sous le titre : *Le Romancero de Pablo Neruda.*

Paru pour la première fois dans la Revue Europe N°28 01.04.1948

ELLE

Poème d'ARAGON - Musique de Jean FERRAT

Elle seule elle a le ciel
Que vous ne pouvez lui prendre
Elle seule elle a mon coeur
Qu'on l'ose arracher ou fendre
Elle seule atteint les songes
Qui mettent mes nuits en cendres
Elle seule échappe aux flammes
Comme fait la salamandre
Elle seule ouvre mon âme
À ce qui ne peut s'entendre
Elle seule et qui sait d'où
Vient l'oiseau vers le temps doux

Elle seule qu'elle parle
C'est comme faire un voyage
Elle seule et son silence
A la beauté des ombrages
Elle seule et tout l'amour
Me sont un même visage
Elle seule et les merveilles
S'étonnent de son passage
Elle seule et le soleil
À peine y peut faire image
Elle seule et qui sait d'où
Vient l'oiseau vers le temps doux

Elle seule et tout le reste
S'en aille au diable vauvert
Elle seule et j'ai pour elle
Seule ainsi vécu souffert
Elle seule ô ma romance
Mon sang mes veines mes vers
Elle seule et qu'elle sorte
Je demeure dans l'enfer
Elle seule et que m'importent
Cette vie et l'univers
Elle seule et je sais d'où
L'oiseau chante le temps doux

LE FOU D'ELSA
Juin 1964
Grenade
Chapitre : *L'Alcaïceria*
Nom du poème : *Zadjal du Kantarat AL'OÛD*

J'ARRIVE OÙ JE SUIS ETRANGER

Poème d'ARAGON - Musique de Jean FERRAT

Rien n'est précaire comme vivre
Rien comme être n'est passager
C'est un peu fondre pour le givre
Et pour le vent être léger
J'arrive où je suis étranger

Un jour tu passes la frontière
D'où viens-tu mais où vas-tu donc
Demain qu'importe et qu'importe hier
Le coeur change avec le chardon
Tout est sans rime ni pardon

Passe ton doigt là sur ta tempe
Touche l'enfance de tes yeux
Mieux vaut laisser basses les lampes
La nuit plus longtemps nous va mieux
C'est le grand jour qui se fait vieux

Les arbres sont beaux en automne
Mais l'enfant qu'est-il devenu
Je me regarde et je m'étonne
De ce voyageur inconnu
De son visage et ses pieds nus

Peu à peu tu te fais silence
Mais pas assez vite pourtant
Pour ne sentir ta dissemblance
Et sur le toi-même d'antan
Tomber la poussière du temps

C'est long vieillir au bout du compte
Le sable en fuit entre nos doigts
C'est comme une eau froide qui monte
C'est comme une honte qui croît
Un cuir à crier qu'on corroie

C'est long d'être un homme une chose
C'est long de renoncer à tout
Et sens-tu les métamorphoses
Qui se font au-dedans de nous
Lentement plier nos genoux

Ô mer amère ô mer profonde
Quelle est l'heure de tes marées
Combien faut-il d'années-secondes
À l'homme pour l'homme abjurer
Pourquoi pourquoi ces simagrées

Rien n'est précaire comme vivre
Rien comme être n'est passager
C'est un peu fondre pour le givre
Et pour le vent être léger
J'arrive où je suis étranger

LE VOYAGE DE HOLLANDE ET AUTRES POÈMES
1965
Chapitre : *D'un enfer*
Titre du poème : *Enfer V*

DEVINE

Poème d'ARAGON - Musique de Jean FERRAT

Un grand champ de lin bleu parmi les raisins noirs
Lorsque vers moi le vent l'incline frémissant
Un grand champ de lin bleu qui fait au ciel miroir
Et c'est moi qui frémis jusqu'au fond de mon sang

Devine

Un grand champ de lin bleu dans le jour revenu
Longtemps y traîne encore une brume des songes
Et j'ai peur d'y lever des oiseaux inconnus
Dont au loin l'ombre ailée obscurément s'allonge

Devine

Un grand champ de lin bleu de la couleur des larmes
Ouvert sur un pays que seul l'amour connaît
Où tout a des parfums le pouvoir et le charme
Comme si des baisers toujours s'y promenaient

Devine

Un grand champ de lin bleu dont c'est l'étonnement
Toujours à découvrir une eau pure et profonde
De son manteau couvrant miraculeusement
Est-ce un lac ou la mer les épaules du monde

Devine

Un grand champ de lin bleu qui parle rit et pleure
Je m'y plonge et m'y perds dis-moi devines-tu
Quelle semaille y fit la joie et la douleur
Et pourquoi de l'aimer vous enivre et vous tue

Devine

LE FOU D'ELSA
Juin 1964
Grenade
Chapitre : *Chant du Medjnoûn*
Nom du poème : *Enigme*

CHAGALL

Poème d'ARAGON - Musique de Jean FERRAT

Tous les animaux et les candélabres
Le violon-coq et le bouc-bouquet
Sont du mariage

L'ange à la fenêtre où sèche le linge
Derrière la vitre installe un pays
Dans le paysage

Mon peintre amer odeur d'amandes

Les danseurs ont bu le grand soleil rouge
Qui se fera lune avant bien longtemps
Sur les marécages

Et le cheval-chèvre assis dans la neige
Aimerait parler avec les poissons
Qui sont trop sauvages

Mon peintre amer odeur d'amandes

Le peintre est assis quelque part dans l'ombre
A quoi rêve-t-il sinon des amants
Sur leur beau nuage

Au-dessus des toits à l'horizontale
Dans leurs habits neufs avant d'être nus
Comme leurs visages

Mon peintre amer odeur d'amandes

Marchez sur les mains perdez votre tête
Le ciel est un cirque où tout est jonglé
Et le vent voyage

Tous les animaux et les candélabres
Le violon-coq et le bouc-bouquet
Sont du mariage

Mon peintre amer odeur d'amandes

CELUI QUI DIT LES CHOSES SANS RIEN DIRE
12.12.1975
Nom du poème : *Tous les animaux et les candélabres*
Refrain : Extrait du poème : *Comme tes couleurs sont jolies*

10

"Le village en fête, 1981" de Chagall - Huile sur toile - 130,5x195cm -
Droits réservés Ida Chagall, Paris.
Remerciements à Jean-Louis Prat, au Comité Chagall et à Enrico Navarra

LES FEUX DE PARIS

Poème d'ARAGON - Musique de Jean FERRAT

Toujours quand aux matins obscènes
Entre les jambes de la Seine
Comme une noyée aux yeux fous
De la brume de vos poèmes
L'île Saint-Louis se lève blême
Baudelaire je pense à vous

Lorsque j'appris à voir les choses
Ô lenteur des métamorphoses
C'est votre Paris que je vis
Il fallait pour que Paris change
Comme bleuissent les oranges
Toute la longueur de ma vie

Mais pour courir ses aventures
La ville a jeté sa ceinture
De murs d'herbe verte et de vent

Elle a fardé son paysage
Comme une fille son visage
Pour séduire un nouvel amant

Rien n'est plus à la même place
Et l'eau des fontaines Wallace
Pleure après le marchand d'oublies
Qui criait le Plaisir Mesdames
Quand les pianos faisaient des gammes
Dans les salons à panoplies

Où sont les grandes tapissières
Les mirlitons dans la poussière
Où sont les noces en chansons
Où sont les mules de Réjane
On ne s'en va plus à dos d'âne
Dîner dans l'herbe à Robinson

Qu'est-ce que cela peut te faire
On ne choisit pas son enfer
En arrière à quoi bon chercher
Qu'autrefois sans toi se consume
C'est ici que ton sort s'allume
On ne choisit pas son bûcher

À tes pas les nuages bougent
Va-t'en dans la rue à l'oeil rouge
Le monde saigne devant toi
Tu marches dans un jour barbare
Le temps présent brûle aux Snack-bars
Son aube pourpre est sur les toits

Au diable la beauté lunaire
Et les ténèbres millénaires
Plein feu dans les Champs-Elysées
Voici le nouveau carnaval
Où l'électricité ravale
Les édifices embrasés

Plein feu sur l'homme et sur la femme
Sur le Louvre et sur Notre-Dame
Du Sacré-Coeur au Panthéon
Plein feu de la Concorde aux Ternes
Plein feu sur l'univers moderne
Plein feu sur notre âme au néon

Plein feu sur la noirceur des songes
Plein feu sur les arts du mensonge
Flambe perpétuel été
Flambe de notre flamme humaine
Et que partout nos mains ramènent
Le soleil de la vérité

LES POÈTES
21.09.1960
Chapitre : *Spectacle*
à la lanterne magique

CHAMBRES D'UN MOMENT

Poème d'ARAGON - Musique de Jean FERRAT

Sur de blancs canots
Suivant les canaux
Ombreux et tranquilles
Les touristes font
Les chemins profonds
Qui baguent la ville

Les bars qu'on entend
Les cafés-chantants
Les marins y règnent
Et la rue a des
Sourires fardés
Ses enseignes saignent

Chambres d'un moment
Qu'importe comment
On se déshabille
Tout est comédie
Hormis ce qu'on dit
Dans les bras des filles

Traîne sur les quais
L'enfance manquée
Des gamins étranges
Qui parlent entre eux
Qui sait de quel jeu
Peu fait pour les anges

Et dans ce quartier
Où le monde entier
Cherche l'aventure
Celui qu'on y joue
Montre ses bijoux
À la devanture

Chambres d'un moment
Qu'importe comment
On se déshabille
Tout est comédie
Hormis ce qu'on dit
Dans les bras des filles

Femmes-diamant
Qui patiemment
Attendent preneur
Pour la somme due
Qui débitent du
Rapide bonheur

Beaux monstres assis
Tout le jour ainsi
Près de leur fenêtre
Vivre ici les voue
Aux faux rendez-vous
D'où rien ne peut naître

Chambres d'un moment
Qu'importe comment
On se déshabille
Tout est comédie
Hormis ce qu'on dit
Dans les bras des filles

un moment

La main le rideau
Le petit cadeau
Mets-toi là qu'on s'aime
Leurs habits ôtés
Ce que les beautés
Au fond sont les mêmes

Souvenirs brisés
Baisers ô baisers
Amours sans amour
Une fois de plus
À Honolulu
Comme à Singapour

Chambres d'un moment
Qu'importe comment
On se déshabille
Tout est comédie
Hormis ce qu'on dit
Dans les bras des filles

Les matelas crient
La même tuerie
À d'autres oreilles
Et les matelots
Ont même sanglot
À moment pareil

Tous les hommes sont
La même chanson
Quand c'est à voix basse
Et leur coeur secret
Bat tant qu'on dirait
Qu'il manque de place

Chambres d'un moment
Qu'importe comment
On se déshabille
Tout est comédie
Hormis ce qu'on dit
Dans les bras des filles

L'ŒUVRE POÈTIQUE
1981
Chapitre : *Chants perdus*
Extrait du poème : *Sur de blancs canots*
(*poème de 1963 non retenu pour le Voyage de Hollande*)

LORSQUE S'EN VIENT LE SOIR

Poème d'ARAGON - Musique de Jean FERRAT

Lorsque s'en vient le soir qui tourne par la porte
Vivre a la profondeur soudain d'un champ de blé
Je te retrouve amour avec mes mains tremblées
Qui m'es la terre tendre entre les feuilles mortes
Et nous nous défaisons de nos habits volés

Rien n'a calmé ces mains que j'ai de te connaître
Gardant du premier soir ce trouble à te toucher
Je te retrouve amour si longuement cherchée
Comme si tout à coup s'ouvrait une fenêtre
Et si tu renonçais à toujours te cacher

Je suis à tout jamais ta scène et ton théâtre
Où le rideau d'aimer s'envole n'importe où
L'étoile neige en moi son éternel mois d'août
Rien n'a calmé ce coeur en te voyant de battre
Il me fait mal à force et rien ne m'est si doux

Tu m'es pourtant toujours la furtive passante
Qu'on retient par miracle au détour d'un instant
Rien n'a calmé ma peur je doute et je t'attends
Dieu perd les pas qu'il fait lorsque tu m'es absente
Un regard te suffit à faire le beau temps

Lorsque s'en vient le soir qui tourne par la porte
Vivre a la profondeur soudain d'un champ de blé
Je te retrouve amour avec mes mains tremblées
Qui m'es la terre tendre entre les feuilles mortes
Et nous nous défaisons de nos habits volés

LE VOYAGE DE HOLLANDE ET AUTRES POÈMES
1965
Chapitre : *Du peu de mots d'aimer*

QUI VIVRA VERRA

Poème d'ARAGON - Musique de Jean FERRAT

Dans les premiers froids de Madrid
J'habitais la Puerta del Sol
Cette place comme un grand vide
Attendait quelque nouveau Cid
Dont le manteau jonchât le sol
Et recouvrît ces gueux sordides
Qu'on jette aux mendiants l'obole
Montrez-moi le peuple espagnol

Qui vivra verra le temps roule roule
Qui vivra verra quel sang coulera

Passant les bourgs de terre cuite
Les labours perchés dans les airs
Sur un chemin qui fait des huit
Comme aux doigts maigres des jésuites
Leur interminable rosaire
Le vent qui met les rois en fuite
Fouette un bourricot de misère
Vers l'Escorial-au-Désert

Qui vivra verra le temps roule roule
Qui vivra verra quel sang coulera

D'où se peut-il qu'un enfant tire
Ce terrible et long crescendo
C'est la plainte qu'on ne peut dire
Qui des entrailles doit sortir
La nuit arrachant son bandeau
C'est le cri du peuple martyr
Qui vous enfonce dans le dos
Le poignard du *cante jondo*

Qui vivra verra le temps roule roule
Qui vivra verra quel sang coulera

Qu'au son des guitares nomades
La gitane mime l'amour
Les cheveux bleus de pommade
L'oeil fendu de Schéhérazade
Et le pied de Boudroulboudour
Il se fait soudain dans Grenade

Que saoule une nuit de vin lourd
Un silence profond et sourd

Qui vivra verra le temps roule roule
Qui vivra verra quel sang coulera

Il se fait soudain dans Grenade
Que saoule une nuit de sang lourd
Une terrible promenade

Il se fait soudain dans Grenade
Un grand silence de tambours

LE ROMAN INACHEVÉ
1956
Chapitre : *Le vaste monde*
Extrait de : *À chaque gare
de poussière les buffles
de cuir bouilli*

Aragon - © LAPI - VIOLLET

Lorsque Aragon et Nancy Cunard
se rendent en Espagne en 1927
ce pays vivait sous la dictature
du général Miguel Primo de Rivera.
Ce poème a d'abord été publié
dans *Les Lettres Françaises*
le 6 septembre 1956
sous le titre *Espagne 1927*.

ODEUR DES MYRTILS

Poème d'ARAGON - Musique de Jean FERRAT

Odeur des myrtils
Dans les grands paniers
Que demeure-t-il
De nous au grenier
Odeur des myrtils
Dans les grands paniers

Ombre mon royaume
Je retrouverais
Les anciens arômes
Et les noirs portraits

Les enfants qui dorment
Les fauteuils boiteux
Les ombres difformes
La trace des jeux

Odeur des myrtils
Dans les grands paniers
Que demeure-t-il
De nous au grenier
Odeur des myrtils
Dans les grands paniers

C'était moi peut-être
Ou peut-être vous
Les yeux des fenêtres
Sont vides et fous

Dans les mois de paille
Il fait doux guetter
Le cri court des cailles
Divisant l'été

Odeur des myrtils
Dans les grands paniers
Que demeure-t-il
De nous au grenier
Odeur des myrtils
Dans les grands paniers

Le vent se repose
Aux bords bleus du temp
Les hérons gris-rose
Marchent sur l'étang

Il me semble entendre
Un train loin d'ici
Dans les osiers tendres
Le jour est assis

Odeur des myrtils
Dans les grands paniers
Que demeure-t-il
De nous au grenier
Odeur des myrtils
Dans les grands paniers

La fin d'août paresse
Et les arbres font
De lentes caresses
Aux plafonds profonds

Mémoire qui meurt
Photos effacées
Rumeur ô rumeur
Des choses passées

Odeur des myrtils
Dans les grands paniers
Que demeure-t-il
De nous au grenier
Odeur des myrtils
Dans les grands paniers

LES POÈTES
21.09.1960
Chapitre : *Discours
à la première personne*

CARCO

Poème d'ARAGON - Musique de Jean FERRAT

Dis qu'as-tu fait des jours enfuis
De ta jeunesse et de toi-même
De tes mains pleines de poèmes
Qui tremblaient au bout de ta nuit

Il avait toujours dans la tête
Le manège d'anciens tourments
De la fenêtre par moment
Parvenaient des bouffées de fête

Où sont les lumières lointaines
Voici fermés les yeux éteints
Ce chant des lilas au matin
De Montmartre à Mortefontaine

Dis qu'as-tu fait des jours enfuis
De ta jeunesse et de toi-même
De tes mains pleines de poèmes
Qui tremblaient au bout de ta nuit

Tu meurs sans avoir vu le drame
Carco qui ne sus que chanter
Te souviens-tu de cet été
De Nice où nous nous rencontrâmes

On faisait semblant d'être heureux
Le ciel ressemblait à la mer
Même l'aurore était amère
C'était en l'an quarante-deux

Dis qu'as-tu fait des jours enfuis
De ta jeunesse et de toi-même
De tes mains pleines de poèmes
Qui tremblaient au bout de ta nuit

Excuse-moi que je le dise
Dans ce Paris où tu n'es plus
Comme Guillaume l'a voulu
Qu'un nom qui se mélancolise

Que l'avenir du moins n'oublie
Ce qui fut le charme de l'air
Le bonheur d'être et le vin clair
La Seine douce dans son lit

Dis qu'as-tu fait des jours enfuis
De ta jeunesse et de toi-même
De tes mains pleines de poèmes
Qui tremblaient au bout de ta nuit

Ce cœur que l'homme avec lui porte
Ne change pas avec le vent
Nous mettrons demain comme avant
Des coquelicots à nos portes

Les mots que nous avons cueillis
Les voici pour celui qui meurt
Passent les gens et tu demeures
Ô poète de mon pays

Dis qu'as-tu fait des jours enfuis
De ta jeunesse et de toi-même
De tes mains pleines de poèmes
Qui tremblaient au bout de ta nuit

Francis Carco - © HARLINGUE - VIOLLET

Carco a été publié dans
Les Lettres Françaises
du 29 Mai 1958 sous le titre
Adieu à Francis Carco.
Le poète venait de s'éteindre
à l'âge de 72 ans

LES POÈTES
21.09.1960
Chapitre : *Spectacle
à la lanterne magique*
Extrait de : *Celui qui
s'en fut à douleur*

MUSIQUE DE MA VIE

Poème d'ARAGON - Musique de Jean FERRAT

Musique de ma vie ô mon parfum ma femme
Empare-toi de moi jusqu'au profond de l'âme
Musique de ma vie ô mon parfum ma femme

Entre dans mon poème unique passion
Qu'il soit uniquement ta respiration
Immobile sans toi désert de ton absence
Qu'il prenne enfin de toi son sens et sa puissance
Il sera ce frémissement de ta venue
Le bonheur de mon bras touché de ta main nue
Il sera comme à l'aube un lieu de long labour
Quand l'hiver se dissipe et l'herbe sort au jour

Musique de ma vie ô mon parfum ma femme
Empare-toi de moi jusqu'au profond de l'âme
Musique de ma vie ô mon parfum ma femme

photo : IRMELI JUNG

de ma vie

Entre dans mon poème où les mots qui t'accueillent
Ont le palpitement obscur et doux des feuilles
Où t'entourent la fuite et l'ombre des oiseaux
Et le cheminement invisible des eaux
Tout t'appartient Je suis tout entier ton domaine
Ma mémoire est à toi Toi seule t'y promènes
Toi seule vas foulant mes sentiers effacés
Mes songes et mes cerfs t'y regardent passer

Musique de ma vie ô mon parfum ma femme
Empare-toi de moi jusqu'au profond de l'âme
Musique de ma vie ô mon parfum ma femme

Que je n'entende plus qu'en moi ce coeur dompté
Assieds-toi c'est le soir et souris c'est l'été
Du jardin que les murs de tous côtés endiguent
Où l'ombre a la senteur violente des figues
Mais déjà c'est ta lèvre et ce couple c'est nous
C'est toi le clair de lune où je tombe à genoux
Et la terrasse y tremble et la pierre se trouble
Etoiles dans ma nuit ma violette double

Musique de ma vie ô mon parfum ma femme
Empare-toi de moi jusqu'au profond de l'âme
Musique de ma vie ô mon parfum ma femme

LES POÈTES
21.09.1960
Chapitre : *Elsa entre dans le poème*
Extrait de : *Entre assieds-toi soleil*

PABLO MON AMI

Poème d'ARAGON - Musique de Jean FERRAT

Pablo mon ami qu'avons-nous permis
L'ombre devant nous s'allonge s'allonge
Qu'avons-nous permis Pablo mon ami
Pablo mon ami nos songes nos songes

Nous sommes les gens de la nuit qui portons le soleil en nous
Il nous brûle au profond de l'être
Nous avons marché dans le noir à ne plus sentir nos genoux
Sans atteindre le monde à naître

Pablo mon ami qu'avons-nous permis
L'ombre devant nous s'allonge s'allonge
Qu'avons-nous permis Pablo mon ami
Pablo mon ami nos songes nos songes

Je connais ce souffrir de tout qui donne bouche de tourment
Amère comme l'aubépine
À tous les mots à tous les cris à tous les pas les errements
Où l'âme un moment se devine

Pablo mon ami qu'avons-nous permis
L'ombre devant nous s'allonge s'allonge
Qu'avons-nous permis Pablo mon ami
Pablo mon ami nos songes nos songes

Pablo mon ami tu disais avec ce langage angoissant
Où se font paroles étranges
N'est large espace que douleur et n'est univers que de sang
Si loin que j'aille rien n'y change

Pablo mon ami qu'avons-nous permis
L'ombre devant nous s'allonge s'allonge
Qu'avons-nous permis Pablo mon ami
Pablo mon ami nos songes nos songes

Pablo mon ami le temps passe et déjà s'effacent nos voix
On n'entend plus même un coeur battre
Tout n'était-il que ce qu'il fut tout n'était-il que ce qu'on voit
Tout n'était-il que ce théâtre

Pablo mon ami qu'avons-nous permis
L'ombre devant nous s'allonge s'allonge
Qu'avons-nous permis Pablo mon ami
Pablo mon ami nos songes nos songes

Au printemps de 1965 un tremblement
de terre ravageant le Chili ruine
la maison de Pablo Neruda
au bord du Pacifique. À cette occasion
Aragon s'adresse à son ami.
L'auteur alors ne peut se retenir
d'exhaler la grande déploration
par quoi la terre même
est accusée de trahison envers les poètes,
ce qui ne va pas sans une certaine
ambiguïté d'intentions incertaines...

ELÉGIE À PABLO NERUDA
28.02.1966

27

POURTANT LA VIE

Poème d'ARAGON - Musique de Jean FERRAT

À voir un jeune chien courir
Les oiseaux parapher le ciel
Le vent friser le lavoir bleu
Les enfants jouer dans le jour

À sentir fraîchir la soirée
Entendre le chant d'une porte
Respirer les lilas dans l'ombre
Flâner dans les rues printanières

Rien moins que rien pourtant la vie

Rien moins que rien Juste on respire
Est-ce un souffle une ombre un plaisir
Je puis marcher je puis m'asseoir
La pierre est fraîche la main tiède

Tant de choses belles qu'on touche
Le pain l'eau la couleur des fruits
Là-bas les anneaux des fumées
Un train qui passe et crie au loin

Rien moins que rien pourtant la vie

À doucement perdre le temps
Suivre un bras nu dans la lumière
Entrer sortir dormir aimer
Aller devant soi sous les arbres

Mille choses douces sans nom
Qu'on fait plus qu'on ne les remarque
Mille nuances d'être humaines
À demi-songe à demi-joie

Rien moins que rien pourtant la vie

Celui qui le veut qu'il s'enivre
De la noirceur et du poison
Mais le soleil sur ta figure
Est plus fort que l'ombre qu'il fait

Et qu'irais-je chercher des rimes
À ce bonheur pur comme l'air
Un sourire est assez pour dire
La musique de l'être humain

Rien moins que rien pourtant la vie

LE VOYAGE DE HOLLANDE
1965
Chapitre : *Chants perdus*
Extrait de : *À voir un jeune chien courir*

Photo : ALAIN MAROUANI

LES OISEAUX DEGUISÉS

Poème d'ARAGON - Musique de Jean FERRAT

Tous ceux qui parlent des merveilles
Leurs fables cachent des sanglots
Et les couleurs de leur oreille
Toujours à des plaintes pareilles
Donnent leurs larmes pour de l'eau

Le peintre assis devant sa toile
A-t-il jamais peint ce qu'il voit
Ce qu'il voit son histoire voile
Et ses ténèbres sont étoiles
Comme chanter change la voix

Ses secrets partout qu'il expose
Ce sont des oiseaux déguisés
Son regard embellit les choses
Et les gens prennent pour des roses
La douleur dont il est brisé

Ma vie au loin mon étrangère
Ce que je fus je l'ai quitté
Et les teintes d'aimer changèrent
Comme roussit dans les fougères
Le songe d'une nuit d'été

Automne automne long automne
Comme le cri du vitrier
De rue en rue et je chantonne
Un air dont lentement s'étonne
Celui qui ne sait plus prier

CELUI QUI DIT LES CHOSES SANS RIEN DIRE
12.12.1975
Extrait de : *Tous ceux qui parlent des merveilles*

30

Déguisés

31

EPILOGUE

Poème d'ARAGON - Musique de Jean FERRAT

La vie aura passé comme un grand château triste que tous les vents traversent
Les courants d'air claquent les portes et pourtant aucune chambre n'est fermée
Il s'y assied des inconnus pauvres et las qui sait pourquoi certains armés
Les herbes ont poussé dans les fossés si bien qu'on n'en peut plus baisser la herse

Quand j'étais jeune on me racontait que bientôt viendrait la victoire des anges
Ah comme j'y ai cru comme j'y ai cru puis voilà que je suis devenu vieux
Le temps des jeunes gens leur est une mèche toujours retombant dans les yeux
Et ce qu'il en reste aux vieillards est trop lourd et trop court que pour eux le vent change

J'écrirai ces vers à bras grands ouverts qu'on sente mon coeur quatre fois y battre
Quitte à en mourir je dépasserai ma gorge et ma voix mon souffle et mon chant
Je suis le faucheur ivre de faucher qu'on voit dévaster sa vie et son champ
Et tout haletant du temps qu'il y perd qui bat et rebat sa faux comme plâtre

Je vois tout ce que vous avez devant vous de malheur de sang de lassitude
Vous n'aurez rien appris de nos illusions rien de nos faux pas compris
Nous ne vous aurons à rien servi vous devrez à votre tour payer le prix
Je vois se plier votre épaule A votre front je vois le pli des habitudes

Bien sûr bien sûr vous me direz que c'est toujours comme cela mais justement
Songez à tous ceux qui mirent leurs doigts vivants leurs mains de chair dans l'engrenage
Pour que cela change et songez à ceux qui ne discutaient même pas leur cage
Est-ce qu'on peut avoir le droit au désespoir le droit de s'arrêter un moment

J'écrirai ces vers à bras grands ouverts qu'on sente mon coeur quatre fois y battre
Quitte à en mourir je dépasserai ma gorge et ma voix mon souffle et mon chant
Je suis le faucheur ivre de faucher qu'on voit dévaster sa vie et son champ
Et tout haletant du temps qu'il y perd qui bat et rebat sa faux comme plâtre

Songez qu'on n'arrête jamais de se battre et qu'avoir vaincu n'est trois fois rien
Et que tout est remis en cause du moment que l'homme de l'homme est comptable
Nous avons vu faire de grandes choses mais il y en eut d'épouvantables
Car il n'est pas toujours facile de savoir où est le mal où est le bien

Et vienne un jour quand vous aurez sur vous le soleil insensé de la victoire
Rappelez-vous que nous avons aussi connu cela que d'autres sont montés
Arracher le drapeau de servitude à l'Acropole et qu'on les a jetés
Eux et leur gloire encore haletants dans la fosse commune de l'histoire

J'écrirai ces vers à bras grands ouverts qu'on sente mon coeur quatre fois y battre
Quitte à en mourir je dépasserai ma gorge et ma voix mon souffle et mon chant
Je suis le faucheur ivre de faucher qu'on voit dévaster sa vie et son champ
Et tout haletant du temps qu'il y perd qui bat et rebat sa faux comme plâtre

EPILOGUE

Je ne dis pas cela pour démoraliser Il faut regarder le néant
En face pour savoir en triompher Le chant n'est pas moins beau quand il décline
Il faut savoir ailleurs l'entendre qui renaît comme l'écho dans les collines
Nous ne sommes pas seuls au monde à chanter et le drame est l'ensemble des chants

Le drame il faut savoir y tenir sa partie et même qu'une voix se taise
Sachez-le toujours le choeur profond reprend la phrase interrompue
Du moment que jusqu'au bout de lui-même Le chanteur a fait ce qu'il a pu
Qu'importe si chemin faisant vous allez m'abandonner comme une hypothèse

J'écrirai ces vers à bras grands ouverts qu'on sente mon coeur quatre fois y battre
Quitte à en mourir je dépasserai ma gorge et ma voix mon souffle et mon chant
Je suis le faucheur ivre de faucher qu'on voit dévaster sa vie et son champ
Et tout haletant du temps qu'il y perd qui bat et rebat sa faux comme plâtre

LES POÈTES
21.09.1960
Extrait du poème : *Je me tiens sur le seuil
de la vie et de la mort*

Direction d'orchestre : Alain Goraguer

CUIVRES-BOIS INSTRUMENTS A VENT

Trompette-bugle-improvisations solo :
Pierre Dutour

Saxophones-alto-ténor
improvisations solo au soprano :
Pierre Gossez

Trombone-improvisations solo :
Denis Leloup

Violon solo improvisations :
Hervé Cavelier

Flûte :
Raymond Guiot

Hautbois-cor anglais :
Didier Costarini

Cors : Hervé Joulain
      Francis Gagnon

Saxophone alto : Romain Mayoral

Saxophone ténor : Roger Simon

Tuba : Marc Lefevre

Flûte à bec : Chris Hayward

CHŒURS

Diego Modena
Leticia Kleiman

RYTHMIQUE

Batterie-synthétiseurs-
piano électrique-percussion :
Patrick Goraguer

Piano :
Raoul Duflot-Verez

Contrebasses :
Ricardo del Fra
Pierre Michelot

Guitares électrique-sèche :
Serge Eymard

Guitares électrique-sèche-improvisation solo :
Jacky Tricoire

De gauche à droite :
P.Cusset - A.Goraguer - J.Ferrat - G.Meys - E.Goulet

photo : IRMELI JUNG

CORDES

Violon solo : Alain Kouznetzoff

Violons : Roger Berthier
Michel Cron
John Cohen
Chantal Vienet
France Dubois
Michel Noël
Arnaud Nuvolone
Jacques Charrier
François Payet
Noelle Barbereau
Jean Gaunet
Didier Saint Aulaire
Jérôme Akoka
Lionel Turchi
Hélène Nuvolone-Blazy
Paul Toscano

Alto solo : Frédéric Gondot

Alti : Christian Dufour - Rémi Brey
Michèle Tillion - Isabelle Chapuis
Marc Desmons

Cello solo : Hubert Varron

Celli : Jean-Renaud Lhotte
Jean-Claude Auclin
Raymond Maillard

Contrebasses : Louis Guilbert
Daniel Marillier
Jean-Michel Lefevre